LES DINONOUS

C'est la Saint-Valentin!

Pour Big Bo et Little Bo
— S.M.

Données de catalogage avant publication
de la Bibliothèque nationale du Canada

Metzger, Steve
    Les dinonous, c'est la Saint-Valentin!

(Les dinonous)
Traduction de: Dinofours, it's Valentine's Day!
Pour enfants de 3 à 6 ans.
ISBN 0-439-98672-9

    I. Wilhelm, Hans, 1945- II. Allard, Isabelle III. Titre.
IV. Collection: Metzger, Steve. Dinonous.

PZ23.M485Did 2001   j813'.54   C2001-900962-3

Édition publiée par Les éditions Scholastic, 175 Hillmount Road, Markham (Ontario) L6C 1Z7.

5 4 3 2 1   Imprimé au Canada   01 02 03 04 05

LES DINONOUS
C'est la Saint-Valentin!

Steve Metzger
Illustrations de Hans Wilhelm

Texte français d'Isabelle Allard

Les éditions Scholastic

C'est la Saint-Valentin!

Les enfants s'apprêtent à faire des cartes de la Saint-Valentin pour leur mère, leur père, leurs grands-parents, leurs frères, leurs sœurs, leurs gardiens et leurs amis.

— Brendan, demande Mme Dé, aimerais-tu faire une carte de la Saint-Valentin?

— Je suis occupé à construire une grosse maison, répond Brendan. J'en ferai une plus tard.

Mme Dé se tourne vers les autres Dinonous.

— Est-ce que quelqu'un a besoin d'aide? demande-t-elle.

— Moi, Madame Dé, répond Danielle. Pouvez-vous écrire les mots *Bonne Saint-Valentin, maman. Je t'aime!* sur ma carte?

— D'accord, Danielle, dit Mme Dé.

Au moment où elle commence à écrire, la voix de Tara se fait entendre :

— Tu es trop près, Tracy! Ton bras est sur ma carte!

— Ce n'est pas vrai, dit Tracy.

— Je reviens tout de suite, Danielle, dit Mme Dé.

Elle est en train de déplacer la chaise de Tracy, quand Joshua l'appelle :

— Madame Dé! Mes ciseaux ne coupent pas!

Mme Dé prend une nouvelle paire de ciseaux sur l'étagère. En les tendant à Joshua, elle entend Danielle l'appeler :

— Madame Dé! Vous n'avez pas fini d'écrire mes mots!

— Excuse-moi, Danielle, dit Mme Dé en revenant. J'étais en train d'aider Joshua.

Mme Dé aide Danielle à écrire sa carte. Dès qu'elle a fini, Brendan pousse un cri :

— J'ai faim!

— Ce n'est pas encore le temps de la collation, dit Mme Dé. Veux-tu faire une carte de la Saint-Valentin maintenant?

— J'en ferai une plus tard, répond Brendan.

— Madame Dé! lance Tracy. Comment on écrit *maman*?

— Écoute bien les sons, dit Mme Dé. Par quelle lettre crois-tu que ce mot commence?

— Par un M, dit Tracy. Et après?

Avant que Mme Dé ne puisse répondre, Albert proteste :

— Ma carte est trop petite! Les autres en ont une plus grande.

— Es-tu sûr, Albert? demande Mme Dé. J'ai fait beaucoup de gros cœurs.

— Mais le mien est tout petit, dit Albert. J'ai besoin d'un gros cœur pour ma gardienne.

— D'accord, dit Mme Dé en découpant un gros cœur de carton pour Albert.

Elle vient à peine de finir que Danielle lui demande :

— Madame Dé, pouvez-vous écrire les mots de ma carte?

— Je croyais avoir déjà écrit ta carte, dit Mme Dé.

— C'était la carte de maman, dit Danielle. Maintenant, j'ai besoin d'aide pour la carte de papa.

— D'accord, Danielle, dit Mme Dé en soupirant. J'arrive.

Mais avant qu'elle puisse aider Danielle, Joshua crie à Tara :

— Tu as renversé des brillants sur ma carte! Tu l'as gâchée.

— Je n'ai pas fait exprès, dit Tara. C'est un accident.

— Ce n'est pas vrai, dit Joshua.

Mme Dé se tourne vers Joshua et Tara. Mais elle n'a pas le temps de régler leur problème, car elle entend la voix de Tracy.

— Madame Dé, qu'est-ce qu'il y a après M? demande Tracy. J'attends pour écrire l'autre lettre.

— Et moi, j'attends encore pour la carte de mon papa, ajoute Danielle.

Mme Dé s'assoit.

— Les enfants, s'il vous plaît, un peu de patience, dit-elle.
Je vais d'abord aider Tara et Joshua, puis Tracy, et ensuite
Danielle. Je ne peux pas tout faire en même temps.

Elle regarde l'horloge.

— Ce sera bientôt le temps de ranger, annonce-t-elle. Ensuite,
ce sera la collation. Alors, dépêchez-vous de terminer vos cartes
de la Saint-Valentin.

— Oh non! s'écrie Brendan en se levant. Je n'ai pas encore fait ma carte. Il faut que j'en fasse une pour ma maman!

Il court vers la table de bricolage et s'assoit.

— Madame Dé! Madame Dé! crie-t-il. Il me faut des marqueurs, des ciseaux, de la colle, des brillants, des crayons, du ruban et des crayons de cire. Et aussi le plus gros cœur du monde!

Albert regarde Mme Dé aider Tara, Joshua, Tracy et Danielle. Quand elle s'assoit à côté de Brendan, Albert appelle les autres Dinonous dans le coin théâtre.

— Mme Dé nous a aidés à faire des cartes pour tout le monde, dit-il, mais personne n'a fait de carte pour elle.

— Tu as raison, dit Joshua.

— On va lui en faire une tout de suite, dit Tara.

— Et moi, je vais inventer une chanson, dit Danielle.

Discrètement, les amis s'empressent de faire une carte de la Saint-Valentin pour Mme Dé.

Aussitôt que Mme Dé a fini d'aider Brendan, elle annonce :

— Bon, il faut tout ranger avant la collation!

— Non, madame Dé, dit Albert. Pas tout de suite!

— Pourquoi pas? demande-t-elle.

— Parce qu'on a quelque chose pour vous, dit Tracy.

— Ah oui? dit Mme Dé.

— Voilà! dit Tara en donnant la carte à Mme Dé.

— C'est une carte de la Saint-Valentin, déclare Joshua.

— Nous avons choisi vos couleurs préférées, explique Tara.

— C'est un superbe arc-en-ciel, dit Mme Dé. Je l'adore!

— Et maintenant, voici une chanson, dit Danielle.
Tous ensemble, ils chantent la chanson de Danielle :

Bonne Saint-Valentin
Cette carte est pour vous
On a fait un dessin
Car on vous aime beaucoup!

— Je vous remercie de tout mon cœur, dit Mme Dé.
Je suis très touchée.
   Soudain, elle s'aperçoit qu'il manque quelqu'un.
— Où est Brendan? demande-t-elle.

— Je suis ici, s'écrie Brendan qui est à côté de la table de collation.

Il s'approche et donne à Mme Dé un craquelin en forme de cœur :

— Bonne Saint-Valentin!

Tout le monde rit de bon cœur, surtout Mme Dé!